D0518539

L'auteur
Dominique de Saint Mars

Après des études de sociologie,
elle a été journaliste à *Astrapi*.
Elle écrit des scénarios
qui donnent la parole aux enfants
et traduisent leurs émotions.
Elle dit en souriant qu'elle a interviewé
au moins 100 000 enfants...
Ses deux fils, Arthur et Henri,
ont été ses premiers inspirateurs !
Engagée dans les causes contre la maltraitance
et la souffrance psychique,
elle est aujourd'hui marraine de l'Œuvre Falret.
Prix de la Fondation pour l'Enfance.

L'illustrateur
Serge Bloch

Cet observateur plein d'humour
et de tendresse est aussi un maître
de la mise en scène.
Tout en distillant son humour généreux
à longueur de cases, il aime faire sentir
la profondeur des sentiments.

Ainsi va la vie

Max n'aime pas l'école

Dominique de Saint Mars

Serge Bloch

CALLIGRAM
CHRISTIAN GALLIMARD

Imprimé en Italie
ISBN : 978-2-88445-061-4

ECOLE PRIMAIRE

Qu'est-ce qu'on va pouvoir faire de toi ?
Qu'est-ce que tu vas devenir ?
Pauvre de moi !

Courage, Max ! Va le montrer à tes parents.
Mais non, jette-le !
CARNET DE NOTES

Bonjour Max !
Ah ! bonjour monsieur Cluet !

Qu'est-ce qu'il se passe ?
J'en ai marre de l'école, et mes parents vont encore...

Ah ! les parents, ils ne pensent qu'au travail, qu'à l'avenir...
Allez, viens, on va s'occuper des animaux !
Non, il faut que je rentre.

LE SOIR, À LA MAISON...
Pourquoi tu ne travailles pas ? Au fait, tu as eu ton carnet ?
CARNET DE

Je n'ai que des mauvaises notes, et la maîtresse a des chouchous, et j'en ai marre de rester assis sans bouger !... L'école, ça ne sert à rien !

Je n'ai même plus
le temps de jouer !

Ah ! tu es encore le
dernier de la classe !
Ah ! tu compares
toujours ! Ce n'est pas de
ma faute... Je suis nul !
BOUH !...

En plus, vous ne m'aimez plus quand j'ai des zéros...
On préférerait que ça marche, mais on t'aime toujours !

Ce qui compte, fils, c'est LA MÉTHODE : écouter la maîtresse, bien noter, apprendre vite...
Je sens déjà que je fais des progrès !
CAHIER DE TEXTES

Mais, toi, tu travaillais bien à l'école ?
Oui... enfin, pas toujours... mais je faisais des efforts !

Papa, j'ai un exposé...
Tu sais quand les dinosaures ont disparu ?
Euh !... ben...
Il y a 65 millions d'années, évidemment !

Là, tu m'épates, Max !

Tout le monde le sait... sauf des êtres aussi préhistoriques que Lili !
Diplodocus toi-même !

ET LE LENDEMAIN MATIN...
Dépêchez-vous ! Vous allez être en retard !
Je n'ai pas envie d'y aller. J'ai mal au ventre !

ECOLE PRIMAIRE

Bon, Max, viens
au tableau me refaire
cette opération.
358
+ 13
= . . .

Euh ! je retiens
et je pose...

Eh bien, Max,
je viens de l'expliquer...
tu rêvais encore !
Non,
pourtant,
j'étais sûr d'avoir
compris.

PLUS TARD...
Mais je n'ai pas fini...

Juliette et Koffi, c'est votre tour de nettoyer la cage du lapin ?

Attention !
Il s'échappe !
Oh !
Vite !
Ne criez pas !

Il est fou, ce lapin, il m'a griffée !
Il n'est pas fou ! Il est affolé parce qu'il a peur.
Viens, mon vieux... voilà, tout doux !

Ses griffes poussent tout le temps,
mais là, il ne les use pas comme
dans la nature. Alors, il faudrait
les lui couper.

Nous, on va jouer aux billes, Max !
DRIIIIIING !

Max, tu as été formidable ! Tu sais bien t'y prendre avec les animaux !
Je m'entends bien avec eux.

Moi, je me sens souvent comme le lapin à l'école...
Comment ça ?

Dès que vous m'interrogez, je m'affole... et j'ai l'impression que vous me détestez.

Pas du tout, Max ! Mais, parfois, j'ai l'impression que tu te moques de moi et je suis découragée...

Heureusement qu'il y a eu le lapin...

Oui, sinon je n'aurais jamais osé vous parler. C'est la première fois que vous me dites que ce que je fais est bien.
On va faire des efforts tous les deux.

Bon, je vais en récré !
N'oublie pas de rappeler à tes parents qu'il y a une réunion demain.

Dépêchez-vous, vous allez être en retard !
Il faut que j'y aille à cette réunion, moi ?
Ah ! oui.
Ah ! Ah ! tu ne veux pas aller à l'école ?...

Je vais vous expliquer ma méthode
de travail... et des mots qui sont
peut-être nouveaux pour vous...

C'était bien
de se parler !

Max, tu es venu chercher
tes parents ?
Pour voir
s'ils avaient
tout
compris !

Ouh ! c'est épuisant, l'école...
Question de méthode !

Et toi...

Est-ce qu'il t'est arrivé la même histoire qu'à Max ?
Réponds aux deux questionnaires...

Quand ça ne va pas bien en classe, en parles-tu ? Demandes-tu à tes parents de voir la maîtresse ?

Quand tu ne comprends pas, oses-tu le dire ou as-tu peur qu'on se moque de toi ?

Tes parents ne pensent-ils qu'aux notes ? Aimerais-tu qu'ils s'intéressent plus à ce que tu apprends ?

Es-tu ennuyé d'avoir des zéros, car ça inquiète tes parents ? As-tu d'autres occasions de leur faire plaisir ?

As-tu ressenti le plaisir du travail bien fait ou d'une bonne note ? As-tu eu envie de continuer tes efforts ?

En dehors de l'école, en quoi es-tu bon :
sport, bricolage, musique, nature, amitié, humour ?

Aimes-tu l'école pour le travail, les copains, le sport ou pour ce que tu y découvres sur le monde ?

Arrives-tu à bien organiser ton bureau, ton temps de travail et à garder du temps pour jouer ?

Apprends-tu ta leçon en la disant dans ta tête ? tout haut ? en l'écrivant ? ou en l'imaginant en film ?

Travailles-tu parfois avec un copain qui est meilleur que toi dans une matière et qui t'explique bien ?

Es-tu plus distrait en classe quand tu as des soucis ? En parles-tu à tes parents ou à ta maîtresse ?

Demandes-tu à tes parents de t'encourager ?

Après avoir réfléchi à ces questions sur l'école, tu peux en parler avec tes parents ou tes amis.

Dans la même collection

1 Lili ne veut pas se coucher
2 Max n'aime pas lire
3 Max est timide
4 Lili se dispute avec son frère
5 Les parents de Zoé divorcent
6 Max n'aime pas l'école
7 Lili est amoureuse
8 Max est fou de jeux vidéo
9 Lili découvre sa Mamie
0 Max va à l'hôpital
1 Lili n'aime que les frites
2 Max raconte des « bobards »
3 Max part en classe verte
4 Lili est fâchée avec sa copine
5 Max a triché
6 Lili a été suivie
7 Max et Lili ont peur
8 Max et Lili ont volé des bonbons
9 Grand-père est mort
20 Lili est désordre
21 Max a la passion du foot
22 Lili veut choisir ses habits
23 Lili veut protéger la nature
24 Max et Koffi sont copains
25 Lili veut un petit chat
26 Les parents de Max et Lili se disputent
27 Nina a été adoptée
28 Max est jaloux
29 Max est maladroit
30 Lili veut de l'argent de poche
31 Max veut se faire des amis
32 Émilie a déménagé
33 Lili ne veut plus aller à la piscine
34 Max se bagarre
35 Max et Lili se sont perdus
36 Jérémy est maltraité
37 Lili se trouve moche
38 Max est racketté
39 Max n'aime pas perdre
40 Max a une amoureuse
41 Lili est malpolie
42 Max et Lili veulent des câlins
43 Le père de Max et Lili est au chômage
44 Alex est handicapé
45 Max est casse-cou
46 Lili regarde trop la télé
47 Max est dans la lune
48 Lili se fait toujours gronder
49 Max adore jouer
50 Max et Lili veulent tout savoir sur les bébés
51 Lucien n'a pas de copains
52 Lili a peur des contrôles
53 Max et Lili veulent tout tout de suite !
54 Max embête les filles
55 Lili va chez la psy
56 Max ne veut pas se laver
57 Lili trouve sa maîtresse méchante
58 Max et Lili sont malades
59 Max fait pipi au lit
60 Lili fait des cauchemars
61 Le cousin de Max et Lili se drogue
62 Max et Lili ne font pas leurs devoirs
63 Max va à la pêche avec son père
64 Marlène grignote tout le temps
65 Lili veut être une star
66 La copine de Lili a une maladie grave
67 Max se fait insulter à la récré
68 La maison de Max et Lili a été cambriolée
69 Lili veut faire une boum
70 Max n'en fait qu'à sa tête
71 Le chien de Max et Lili est mort